🌀 **从小爱科学·有趣的物理**

来到了跳跳国

弹性与弹力

文/（韩）李智贤　图/（韩）李胜敏　译/李 蕾

🏛 湖南少年儿童出版社
HUNAN JUVENILE & CHILDREN'S PUBLISHING HOUSE

让孩子们的好奇心
飞翔起来

　　飞机是怎么飞起来的？天空中为什么会有彩虹？船为什么能在水中浮起来？空调为什么要安装在房间的上面？糖放到水里面为什么会不见了？小铁钉为什么会生锈？乘车为什么要系上安全带？……大千世界无时无刻不在吸引着孩子好奇的目光。孩子的小脑袋里总会接二连三地蹦出各种各样的问题。我们在日常生活中常常遇到的这些再自然不过的事情，在孩子那里，却成了无数个"为什么"的来源，而且，这些看似平常的"为什么"，往往能够问倒家长。

　　其实，这一个个"为什么"正是孩子认识世界、了解世界的开始。如果经过很好的激发和引导，孩子最初的好奇心往往可以转变成他们对某种事物的兴趣；而孩子的求知欲和探索精神也正是在一次次地提出"为什么"且一次次找到答案的过程中培养起来的。因此，我们不妨静下心来，听听孩子们内心的疑问，再带着他们去观察，去动脑筋，去寻找答案。

　　"从小爱科学"这套丛书，其素材来源于日常生活，而且恰恰是孩子心中最容易产生疑问的那些事物。这套书的妙处在于，它是以讲故事的方式向孩子们讲述科学知识的，文字朗朗上口、充满童真。那些故事中的情节，很多孩子都曾亲身经历，因此极易产生共鸣：书中的主角不正是和我差不多大吗；原来他们在游乐场也遇到过这样的情况；原来他们在家也问过这样的问题；原来这个问题是这么回事呀！

　　这套丛书的妙处还在于，它是以孩子最喜爱的图画书的形式来讲述科学知识的。每一段简单的文字都配上了可爱的图画，将科学知识融于其中，浅显易懂、趣味十足，将孩子牢牢地吸引。

科学图画书该如何阅读呢？就"从小爱科学"这套丛书而言，家长可以根据孩子的年龄、阅读经验、知识掌握情况来进行适当的指导和辅助阅读。年龄小一些、阅读经验还不丰富的孩子，家长可以与他们进行亲子共读；而大一些的孩子可以先自己阅读，遇到不懂的地方，再与家长来讨论。

这套丛书中，有一些帮助孩子理解科学原理的简单、易操作的小实验，孩子可以在家长的陪同下，一起来完成实验。亲子互动，往往更能够激发孩子阅读的乐趣；而且小实验的操作还能够培养孩子的观察和动手能力。

在这套书的最后，还有一个附加的部分"我想知道更多"。这个部分不仅对前面故事里所涉及的科学知识进行了总结，还对科学原理进行了更深一层的阐释，提到了更多相关的知识点，举出了更多的实例。较之前面的故事部分，这个部分理解起来难度要大一些，家长可以根据孩子的实际情况，让孩子有选择地进行阅读：对于年龄大一些的孩子来说，可以作为他们扩充知识面的素材；对于年龄较小的孩子来说，可以暂时先不阅读。这个部分还有一个好处，就是可以作为家长的重要参考资料。在与孩子进行亲子共读之前，家长可以先做做功课，因为只有"知道更多"，才不会被孩子问倒。

这套"从小爱科学"丛书分为"有趣的物理"和"神奇的化学"两个系列，取材于生活，轻松活泼，能让孩子对日后将要学习的物理和化学课程产生兴趣和亲近感，并打下一个初步的基础。

一起来阅读"从小爱科学"丛书吧！发现和了解生活中的科学，思考和探索科学的原理，让孩子们的好奇心飞翔起来！

今天是美美的生日。

"啊，吓了一跳！"

从哥哥小勇送的礼物盒里蹿出来一个小鬼脸。

"嘻嘻！"

哥哥坏笑着。

美美仔细地看着小鬼脸盒子。

小鬼脸的头上安装了弹簧，

盖上盒子时，弹簧就被压着，

一打开盒子，弹簧就恢复原状，

小鬼脸也就随之跳了出来。

"我们去游乐园吧！"
爸爸的话让美美拍着小手，乐得合不拢嘴。
游乐园的人真多啊！
高个子的卡通人朝着美美一家人走来。
"你好，美美！"
卡通人一边向美美招手，
一边跳向别的地方。
"哇，我也想穿那样的鞋！"
小勇指着卡通人穿的鞋说。
鞋上有很大的弹簧，
卡通人穿上弹簧鞋，利用弹性，
蹦蹦跳跳地来来去去。

6

你好！

弹性园地

弹簧和弹性

用手按压弹簧，弹簧会缩短，手松开后，弹簧又会恢复原状。像这样，物体在外力的作用下变形，在除去外力后能够恢复原状的性质，叫做弹性。

利用弹簧弹性的工具

利用弹簧被压缩下去之后又能恢复原来模样的这个特点制作的工具有圆珠笔、订书机、跳跳机等。利用弹簧伸长之后又能恢复原状的这个特点制作的工具有腕力器、蹦床等。

橡皮筋的弹性

制作弹弓时用的橡皮筋也有弹性。弹弓是把橡皮筋放在中间，根据橡皮筋拉直后就会伸长，放松后又会恢复成原状的这个特点来做的玩具。

"啊，应该很有趣。"
小勇指着打弹弓游戏的地方说。
弹弓是利用橡皮筋的弹性做的玩具，
用力拉它就会伸长，一松开就会借助
弹性把子弹发射出去。
"啊，打中啦！叔叔，给我奖品吧！"
"好啊，小朋友弹弓打得很好嘛。"
美美得到了奖品跳跳机。

弹力

弹簧被压缩或拉伸后，具有恢复原状的力量，这种力叫做弹力。
弹簧缩短或伸长得越多，弹力也就越强。跳跳机是根据弹簧的弹性发明的玩具。

跳跳机上也有弹簧，
弹簧上面有块板子，
用脚使劲踩的话，板子就会反弹上来，
踩在板子上的人也就随之跳了起来。
越使劲踩板子，人跳得越高，
不怎么使劲的话，就跳得不高。

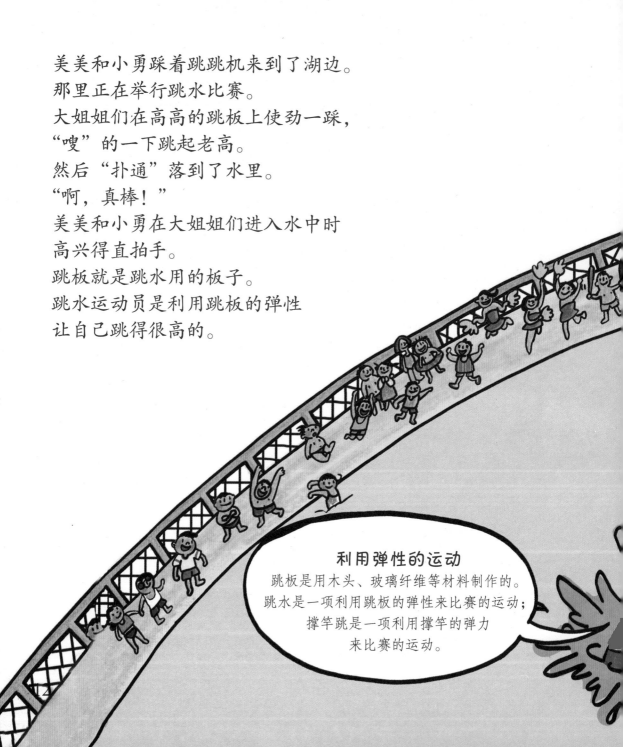

美美和小勇踩着跳跳机来到了湖边。
那里正在举行跳水比赛。
大姐姐们在高高的跳板上使劲一踩，
"嗖"的一下跳起老高。
然后"扑通"落到了水里。
"啊，真棒！"
美美和小勇在大姐姐们进入水中时
高兴得直拍手。
跳板就是跳水用的板子。
跳水运动员是利用跳板的弹性
让自己跳得很高的。

利用弹性的运动
跳板是用木头、玻璃纤维等材料制作的。
跳水是一项利用跳板的弹性来比赛的运动；
撑竿跳是一项利用撑竿的弹力
来比赛的运动。

另一边正在玩蹦极跳。
大哥哥们在身上绑上绳子，
从很高的铁塔上面，
"嗖"的一下跳下来，
然后"嗖"的一下又上去了。
往下跳的时候，绳子被拉长了，
由于绳子要恢复到原来的模样，
所以系在绳子上面的人又会被拉上去。
蹦极跳也是一项利用橡皮筋的弹性来玩耍的游戏。

蹦极跳

蹦极跳原本是南太平洋群岛上
瓦努阿图国的成人仪式。
用在蹦极跳上的绳子要用生胶来做。
因为这种绳子有很强的弹性，
因此人绑上它从高处
跳下来也不会摔伤。

15

弹力球（飞天球）

弹力球具有液体和橡胶的特点，可以自由地变换模样，具有很大的弹力，是用PVA(聚乙烯醇)和硼砂混合在一起制作的。飞天球的意思是飞来飞去的橡胶球。

16

制作飞天球

准备物：PVA(聚乙烯醇)，纸杯，色素，
木筷子，硼砂水(硼砂溶解在水中所成的液体)。

1. 在硼砂水中加入自己喜欢的色素。
2. 在放入PVA的纸杯里加入调好色的硼砂水，搅拌
后产生凝固物。
3. 将凝固物不断地搅拌，与水充分融合后，
飞天球的原料就做好了。只要将它捏成自
己喜欢的模样就行了。

果汁 　矿泉水 　鱿鱼 　炸串 　自行车

一位大哥哥给了小勇和美美
一个软软的像用糯米做的东西。
"这是什么？"
"飞天球啊，得好好捏才行。"
想要飞天球的弹性好，就要多捏一会儿。
美美和哥哥努力地捏啊，揉啊，
终于做好了圆圆的飞天球。
把飞天球用力地往地上一摔，
它就"腾"的一下蹿到空中了。

"哇，真棒！"
美美和小勇向着这些呐喊声走去。
大哥哥和大姐姐们正在蹦床上翻着跟头。
大姐姐使劲一跳，
一下翻了两圈；
大哥哥使劲一蹦，
一下翻了三圈。
蹦床上有一张绷紧的弹性网，
人在上面蹦跳可以反弹起来。

18

蹦床

蹦床是人们借助弹力床的弹力弹向空中，在空中做翻跟头等动作的运动。蹦床的历史可以追溯到19世纪中期北美的科曼契印第安人，而法国杂技演员特朗波兰则是现代蹦床的创始者。

19

"你们也想试试吗？"
翻跟头的大哥哥说。
美美和哥哥站在蹦床上使劲一跳。
"噌"的一下升到空中。
"哥哥，我跳得高吧？"
"嘻嘻，我跳得比你更高。"
美美使劲地跳，
可就是没有哥哥跳得高，
因为美美力气小嘛。
在蹦床上是力气越大，跳得才越高。

20

爸爸和妈妈正在玩射箭。
妈妈把长长的弓弦使劲向后拉，
弓变得弯弯的，
把弓弦松开后，
搭在弓弦上的箭"嗖"地射了很远。
弓是用结实的竹子做成的。
弓正是利用竹子弯曲后又能恢复原状的弹性
将箭射得很远的。

爸爸带着美美和哥哥来到
儿童练弓场。
小勇拿起弓先射，
箭"嗖"的一声飞出去很远。
轮到美美了，
这下美美射出的箭比小勇的还远。
小勇不服气，再次使足力气拉弓，
但是力气太大，
弓"铛"的一声断了。

24

弹性限度

如果对物体施加的外力超过了某一极限值，外力除去后，物体就无法恢复到原来的模样了，这个极限值称为弹性限度。橡皮筋或弹簧受到的拉力如果超过了它们的弹性限度，就会断裂或拉长，从而无法恢复到原来的模样。

"咱们买点心吃吧。"
小勇和美美走进了点心店。
"买点心啊？请随便挑选，
所有的点心都是20元1千克。"
美美和小勇把点心装了满满一小篮子。
大姐姐把小篮子放在秤上称。
"看看，500克。"
有指针的秤也是利用弹簧的弹性制作成的工具。

新产品
棒棒糖

全部点心
20元1千克

AM 10:00
PM 11:00

弹簧秤

弹簧秤是利用弹簧的弹性称重量的工具，分为压力弹簧秤和拉力弹簧秤两种类型。物体越重，弹簧秤中的弹簧就被压得越短或拉得越长。

使用弹性的生活工具

利用弹簧的弹性制作的工具有秤、床、椅子、电梯和汽车的缓冲装置等；利用橡胶的弹性制作的工具有球、轮胎、橡皮筋等。

"你们兄妹俩玩得高兴吗？"

爸爸一把抱住美美，架在自己的脖子上。

"我也要，我也要。"

小勇缠着爸爸撒娇。

"不行，你是大孩子了……"

妈妈"啪"地拍了小勇的屁股一下。

美美得意地朝着小勇吐了吐舌头。

这就是美美愉快的生日。

我想知道更多

◎ 弹簧和橡皮筋

把弹簧用力拉，它会伸长，松开后又会恢复原状。把弹簧按下去再松开，弹簧也会恢复原状。橡皮筋也是一样的，橡皮筋被拉长后再松手也会恢复原本的样子。像弹簧和橡皮筋这样的东西，都有一个施加力就会变形，去掉力还能恢复原状的共同点。橡胶可以被拉长到自身8倍的长度。组成橡胶的分子就像弹簧一样，又细又长，因此可以被拉伸得很长。然而，如果拉伸的力不存在了，它就会重新回到原来的模样。轮胎、橡皮气球、橡皮筋、橡胶手套、胶鞋、橡胶球等就是利用橡胶的这个特性制作的。

◎ 弹性和弹力

所有物体只要对它施加力都会变形。施加的力越大，物体形状的改变就越大。物体受到力后变形，去掉力又恢复到原状的特性就叫做弹性。被改变模样的物体具备的恢复原来样子的力量，叫做弹力。很多物体都有弹性，尤其是像弹簧、橡皮筋、弓等物体的弹性更大。

弹弓

跳跳机

潘多拉盒子

蹦极跳

蹦床

◎电影中诞生的弹性物质——飞天球

菲利普·布雷纳德博士是一个非常健忘的天才教授，他一旦做起实验，就把什么都忘记了，甚至连自己的结婚仪式也忘得一干二净。让天才教授如此着迷的试验到底会产生什么奇妙的发明呢？原来，实验最后诞生出的发明物就是蹦蹦跳跳的飞天球。博士将这个视作生命的东西——飞天球叫做"会飞的橡胶"。形态介于液体和橡胶之间的飞天球能以很快的速度跳来跳去，模样也可以自由地变换。原理其实很简单：它是由PVA(聚乙烯醇)和硼砂混合形成的，具备了橡胶的特性，所以能弹得很高。

电影《飞天法宝》的宣传海报

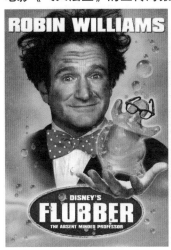
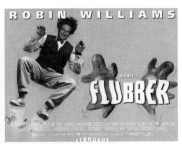

什么是塑性?

并非所有的物质都有弹性。将黏土用手挤压变形后就无法恢复原来的模样。做糯米饺子时，将栗子、芝麻、花生等当馅包入糯米面时，糯米改变形状了，但是不会再恢复以前的样子。总之，物体在受到外力后变形，在外力去掉后仍能保持变形后模样的性质就叫做"塑性"。

缓冲装置

弹簧常被用于汽车或摩托车的缓冲装置，将汽车或摩托车的车体和车轮连接。这样，汽车或摩托车在崎岖不平的道路上行进时，弹簧可起到减缓颠簸的作用，从而提高乘车的舒适感和安全性。

摩托车缓冲弹簧

◎ 胡克定律

弹簧挂上物体后会伸长，去掉物体就会恢复原本的模样。并且，物体的重量越大，弹簧拉得就越长。每增加一个重量相同的砝码，弹簧就会拉长相同的长度。假如砝码每增加1个，弹簧拉长1厘米，那么增加两个砝码，弹簧的长度就会增加2厘米。弹簧的弹力和弹簧的伸长量成正比。这一定律是英国的物理学家胡克首先提出的，因此叫做胡克定律。

然而，如果物体太重，去掉物体后弹簧也不会恢复到原来的形态。这就是说，弹簧、橡皮筋、弓等虽有弹性，但受到一定程度以上的力时就无法恢复原形而产生变形，这时的力就叫做弹性限度。把圆珠笔里的弹簧拿出来使劲一拉，弹簧就变形了；还有漂亮的头绳、橡皮筋用久了或是用力过大，都会失去弹性变得不能再用了。

砝码重量和弹簧长度的比较

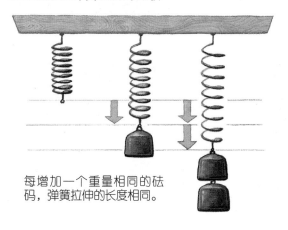

每增加一个重量相同的砝码，弹簧拉伸的长度相同。

◎ 弹簧的种类和使用

弹簧有拉伸和压缩弹簧。弹簧秤是利用弹簧的拉伸力来称量物体的重量。银行柜台上用的粘桌式圆珠笔，因为有弯曲线人们可以自由地取用。席梦思床垫内部有压缩弹簧，起到了缓冲的作用。

使用弹簧的工具还有订书机、腕力器、缓冲装置、圆珠笔等。订书机里面有一个连着弹簧的铁芯，可以将订书针自动送到固定的位置。腕力器是把弹簧拉伸开的运动器械，可以把手臂的肌肉锻炼得很结实。汽车的缓冲装置将减少行车途中产生的冲击力，从而让乘车的人感到很舒适。

拉伸弹簧
腕力器、拉力弹簧秤、指南针、气枪等。

压缩弹簧
床、订书机、体重计、跳跳机、缓冲装置、电脑键盘、圆珠笔等。

◎ 利用弹性的弓和箭

箭脱离弓射向靶子，这正是利用了弓的弹性。将弓弦使劲向后拉，弓就会弯曲，弓要恢复原状就具有了弹力。因此，把箭搭在弓弦上松开后，弓就会瞬间恢复原状，同时也就将箭弹射出去。

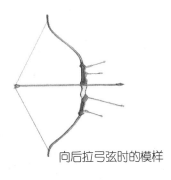 

向后拉弓弦时的模样　　　松开时的模样

橡胶的历史

1770年英国首先用橡胶做成了橡皮，因为是用于擦拭（rub）的，就将其取名为"擦拭物（rubber）"。后来，橡胶的用途被广泛地开发，1839年，查尔斯·古德耶尔将橡胶和硫磺混合反应，生产出性能优越的产品并得到广泛应用。1888年，邓洛普发明了充气轮胎，从而开创了现代橡胶工业时代。而合成橡胶是为了弥补天然橡胶在油分等方面的不足，最先在德国开始生产的。

◎ 利用弹簧的秤

砝码越大，弹簧就被拉得越长。因此，弹簧被拉伸的长度可以用来表示物体的重量。使用弹簧这种特点的工具是弹簧秤。盘秤、体重计则是利用弹簧压缩后恢复原状的特性制成的。秤都要在它的承受限度内正确使用。如果称很重的东西，超过秤的承受限度时，秤就会被损坏。

拉力弹簧秤
利用拉伸弹簧的特性制作的秤。主要用在科学实验室中。如果物体过轻，它就无法伸长；如果物体过重，弹簧就会变形，无法恢复原状。

盘秤
压力弹簧秤。主要用于称量食物。盘子上不放东西时，指针刚好指向0。

体重计
压力弹簧秤。主要用于称量体重。使用前，先确认一下指针是否指向0，然后再称体重。

看我变变变

不想变化的固执鬼

跷跷板的秘密

我最闪亮

谁把飞机送上了天

全都掉到地上啦

美丽的七色光

来到了跳跳国

哗啦，哗啦，力量大

滑溜溜，扑通

大象也可以被举起来

咔嗒，咔嗒，粘住了

逃跑的热量

小水滴的魔法

谁更喜欢氧气

白糖消失事件

舞动的精灵

神秘的间谍

空气无处不在

它们是用什么做的呢

图书在版编目（CIP）数据

来到了跳跳国／（韩）李智贤文；（韩）李胜敏图；李蕾译.
—长沙：湖南少年儿童出版社，2009.11（2012.5重印）
（从小爱科学.有趣的物理）
ISBN 978-7-5358-4829-1

Ⅰ.来… Ⅱ.①李…②李…③李… Ⅲ.物理学—少年读
物 Ⅳ.O4-49

中国版本图书馆CIP数据核字（2009）第180398号

Everyday Science to the Principles
Title: We're in Boing Boing Land!
Copyright©GreatBooks,2008
First published in Korea by GreatBooks in 2008.
Chinese language copyright©2008 by Hunan Juvenile & Children's Publishing House
This paperback Chinese simplified edition is published by arrangement with
GreatBooks , through The ChoiceMaker Korea Co. Agency.
Publication of this book was aided by a subsidy from the Korean Literature Translation Institute.

来到了跳跳国

特约策划：爱 桐
策划编辑：周 霞　　责任编辑：周 霞
文字统筹：王 蓉
质量总监：郑 瑾
版式设计：嘉伟文化 JARL.V CULTURE

出版人：胡 坚
出版发行：湖南少年儿童出版社
地址：湖南长沙市晚报大道89号 邮编：410016
电话：0731-82196340（销售部） 82196313（总编室）
传真：0731-82199308（销售部） 82196330（综合管理部）
经销：新华书店
常年法律顾问：北京市长安律师事务所长沙分所 张晓军律师

印制：长沙湘诚印刷有限公司（长沙市开福区伍家岭新码头95号）
开本：889mm×1194mm 1/24 印张：1.5
版次：2009年11月第1版
印次：2012年5月第11次印刷
定价：104.00元（全13册）